Crash

gan

Sera Moore Williams

Cydnabyddiaethau

Hawlfraint y ddrama © Sera Moore Williams 2009
Hawlfraint y cyhoeddiad © Atebol Cyfyngedig 2009

Cyhoeddwyd yn 2009 gan Atebol Cyfyngedig, Adeiladau'r Fagwyr, Llanfihangel Genau'r Glyn, Aberystwyth, Ceredigion SY24 5AQ

Ail Agraffiad 2010

www.atebol.com

Dyluniwyd gan Stiwdio Ceri Jones, stiwdio@ceri-talybont.com
Llun y clawr gan Andy Freeman
Argraffwyd gan Y Lolfa, Tal-y-bont, Ceredigion
Noddwyd gan Lywodraeth Cynulliad Cymru

Comisiynwyd y ddrama yn wreiddiol gan Gwmni Theatr Arad Goch yn 2004.

Cast gwreiddiol
Elin: Rhiannon Morgan
Wes: Dafydd Rhys Evans
Rhys: Rhys ap Trefor
Cerddor: Owain Llŷr Edwards

Cyfarwyddwr
Sera Moore Williams
Cynllunydd
Andy Freeman
Rheolwr Llwyfan
Llŷr Jones

ISBN 978-1-907004-16-2

LLEOLIAD

Mae pob golygfa'n cael ei hactio mewn man chwarae moel. I awgrymu newid lleoliad yn ystod y ddrama, does dim angen mwy na mymryn o newidiadau i'r celfi, y gwisgoedd a'r dodrefn.

Mae'r cerddor yn troi'n droellwr ar gyfer golygfa'r disgo.

CYMERIADAU

RHYS: Bachgen sy bron yn 16 oed. Cydwybodol. O deulu cefnogol. Ddim yn denau. Ffrind da i Elin.

ELS (ELIN):   Merch sy bron yn 16 oed. O deulu cefnogol.

WES: Bachgen o gefndir anodd, sy bron yn 16 oed.

CERDDORIAETH.

SŴN GWYNT YN Y PELLTER.

MAE WES YN CYSGU AR LAWR FFLAT-UN-YSTAFELL STEVE. MAE ELIN YN EISTEDD MEWN CORNEL, LLE BU HI'N CYSGU. MAE DILLAD WES AC ELIN YN EDRYCH YN ANNIBEN OFNADWY. MAE ELIN YN SYLLU AR WES AM SBEL CYN EI YSGWYD YN OFALUS I'W DDEFFRO. MAE'N DEFFRO MEWN BRAW, GAN DDYCHRYN ELIN.

MAE SALWCH BORE DRANNOETH YN EFFEITHIO'N GRYF ARNO.

WES: Crap! Crap! Ble ydw i?

ELS: Wes! *Calm down.*
           (MAE HI'N EI GUSANU) Crashest ti.

WES: Ble ydw i?

ELS: Crashest ti.

WES: (MEWN BRAW) Beth?

ELS: Crashest ti.

WES: Ble?

ELS: Fan hyn!

WES: (YN FALCH O DDEALL MAI WEDI CYSGU Y MAE HI'N EI FEDDWL) O! O! OK!

ELS: Wyt ti'n OK?

WES: (YN ANSICR) *Yeah.* (YN CYFFWRDD Â'I BEN) Awtsh!
           (CURIAD) Ble mae pawb?

ELS: Wedi mynd!

WES: (MEWN POEN) W!

          SAIB.

ELS: Tawel!

WES: Beth?

ELS: Nag yw hi?

WES: Yn dy ben di falle!

ELS: Dim ond ti a fi!

WES: (HEB WRANDO) *Yeah.*

ELS: Neb yn haslo.

          SAIB.

WES: Pryd a'th pawb?

ELS: Hwyr. 'Nôl i dŷ Ben.

WES: (YN SYNNU) Ben?

ELS: *Yeah.*

WES: (YN DDRYSLYD) Ble y'n ni 'te?

ELS: (GAN WENU) Wes! Lle Steve.

WES: O! OK! (CURIAD) Arhosest ti?

ELS: Do.

WES: (YN BYWIOGI) *Serious?* Ac?

ELS: Beth?

WES:	Ti a fi?
ELS:	*I don't think so!* Fan hyn? (CURIAD) Ac eniwe, do't ti ddim rili mewn cyflwr o't ti? (CURIAD) Sa i isie iddo fe fod fel 'na!

SAIB.

WES:	*So* beth am Mami a Dadi?
ELS:	Wedes i bo fi'n aros 'da Sara.
WES:	Celwydd!
ELS:	Bach! Wi'm yn gwneud dim drwg i neb ydw i?

SAIB.

WES:	O's arian 'da ti?
ELS:	Digon am gan o *Coke.*
WES:	Dau *Coke?*
ELS:	Falle.
WES:	Dere 'mlaen 'te.

MAE WES YN SYLWI AR GYFLWR EI DDILLAD.

ELS:	Cŵl. Rhywle tawel *though.* Rhywle lle gallwn ni weld y môr. *Takeaway* falle? Craig yr Wylan?
WES:	Holl ffordd lan i ben y graig? O na! O's raid? Eto?
ELS:	(YN FREUDDWYDIOL) Bydd tonnau heddi.
WES:	*So?*
ELS:	Tonnau mawr.

WES: O's arian 'da ti am rôl? Fi'n starfo!

ELS: Gwynt rili cryf! Ti'n 'i glywed e?

WES: (YN SYLWEDDOLI BOD EI DROWSUS YN WLYB) Ych! Be sy'n
         bod ar y jîns hyn? Ma' rhain yn stecs! Crap! (YN AMAU'R
         GWAETHAF!) O! Plîs *God* dwed bo fi ddim wedi …

ELS: (YN CHWERTHIN) Na!

WES: Wel shwt …

ELS: Achub fi!

WES: Beth?

ELS: Neithiwr.

WES: (YN DDRYSLYD) *Yeah?*

ELS: O'r môr.

WES: (MEWN BRAW) *Whoah! No way!*

ELS: Nag 'yt ti'n cofio?

WES: (YN YMDRECHU I GOFIO) Yyym …

ELS: Ar y ffordd adre. Achubest ti fi!

WES: Ti'n siŵr?

ELS: Eitha siŵr!

WES: Cŵl! (CURIAD) Crap! Ble ma'n ffôn i?

ELS: Da'th pysgodyn mawr heibio a'i fwyta fe!

WES: Beth?

ELS: Yn bag fi Wes!

WES: E? (YN DEALL) O ife? (YN ESTYN AM EI FFÔN)

            (AM Y FFÔN) *Life-line.*

ELS: (AM Y BAG) Gadewais i fe wrth y tân. (MAE WES YN EDRYCH
            YN DDIFYNEGIANT.) Bag! Nag 'yt ti'n cofio'r tân?

WES: Na. Ddim rili!

ELS: (YN GRESYNU) Wes!

            MAE WES YN RHOI'R FFÔN YN EI BOCED, AC YN
            DECHRAU GWISGO'I ESGIDIAU.

WES: (AM YR ESGIDIAU) O ych! Gwlyb!

ELS: Cofia, fyddet ti ddim wedi gorfod bod yn arwr …

WES: (AM EI ESGIDIAU) Sdim pâr arall 'da fi!

ELS: … 'set ti ddim wedi gwthio fi i mewn!

WES: (WEDI DYCHRYN) *No way!*

ELS: Pam wnest ti 'na?

WES: Wi'm yn siŵr!

ELS: *Off* y creigie!

WES: Crap! Sori! O't ti'n grac?

ELS: Na.

WES: Na? (CURIAD) Ti'n gallu nofio?

ELS: Ydw. Ond ddim pan dwi'n feddw!

WES: (WEDI SYNNU) O't ti'n feddw?

MAE ELS YN CYDNABOD EI BOD HI.

(CURIAD) Dwi ddim yn gallu.

ELS: (WEDI SYNNU) Beth? Nofio?

WES: Ddim hyd yn o'd pan dwi'n sobor. Sori!

ELS: Ti'm yn gall! Jwmpest ti i mewn ar fy ôl i!

MAE'R DDAU YN CHWERTHIN.

WES: Ni'n lwcus i fod yn fyw!

SAIB.

So, eniwe, nawr bo ti'n gwbod am *the evils of vodka* (YN CLOSIO AT ELIN) beth wyt ti'n mynd i drio nesa'?

MAE WES YN EI CHUSANU, OND MAE HI'N EI RWYSTRO.

ELS: (CURIAD) (YN OSGOI ATEB) Wnes i ddim yfed lot.

SAIB.

Shwt deimlad yw e, sgwn i?

WES: Beth?

ELS: Boddi.

WES;   Gwlyb!

ELS: *Funny!* (YN FREUDDWYDIOL) Y dŵr yn gynnes o dy amgylch di.

WES: Crap.

ELS: (YN FREUDDWYDIOL) Tawel. Heddychlon.

WES: Ti'n gwneud iddo fe swnio fel bàth! Byddet ti'n rhewi cyn iti foddi rownd ffordd hyn. A fydde fe ddim yn heddychlon achos bydde dy ddannedd di'n tsiatran! Yn rili uchel!

ELS: Byddwn i'n hoffi byw o dan y môr. Fyddet ti? Môr-forwyn. 'Na beth hoffwn i fod.

WES: Beth?

ELS: Fyddet ti'n hoffi?

WES: *Half man half kipper? I don't think so.*

ELS: Wel beth wyt ti isie bod?

WES: *International drug dealer!*

ELS: *No way!* (CURIAD) Byddwn i'n hoffi gweld un, fyddet ti?

WES: *Drug dealer?* Nawr? *Too right!*

ELS: Ca' dy ben! Môr-forwyn! Dwi'n siŵr eu bod nhw i'w ca'l.

WES: *Nutter!*

            SAIB.

            Shwt 'dyw *mermaids* ddim yn boddi?

ELS: Beth?

WES: Wel ma'r rhan ucha' 'run peth â ni nag yw e? (YN CYFEIRIO AT FRONNAU ELIN) Heblaw bo 'da nhw … mwy na rhai ohonon ni!

ELS: Hoi!

WES: O's *lungs* mwy 'da nhw 'fyd?

11

ELS:	Y môr yw eu cynefin nhw. Y lle perffaith ar eu cyfer nhw. Maen nhw'n perthyn. 'Na pam nag y'n nhw'n boddi.
WES:	*Deep!*
ELS:	O ca' dy ben Wesley!
WES:	*What?*
	SAIB.
ELS:	Fi ddim yn perthyn.
WES:	Fan hyn?
ELS:	Nage. Gatre.
WES:	*Join the club.*
ELS:	Fi byth yn mynd i allu plesio Mam a Dad.
WES:	Fi ddim yn boddran trio. Stwffo nhw.
ELS:	Mae 'na'n hawdd i ti ddweud.
WES:	Pam?
ELS:	Ti'n lwcus.
WES:	Fi?
ELS:	Ti ddim yn byw 'da dy rieni wyt ti?
WES:	Na.
ELS:	Does neb 'da ti i'w siomi felly o's e? Ti'n rhydd.
WES:	Rhydd? Fi?

ELS: Ca'l gwneud fel ti isie, nag wyt ti?

SAIB.

WES: (AR DRYWYDD ARALL) *So* ro'n i'n arwr neithiwr *yeah?*

ELS: *Yeah! Sort of.* (CURIAD) *So?*

WES: (YN AWGRYMOG) *So!* Nag yw arwr yn haeddu gwobr?

ELS: (YN PRYFOCIO) Fel beth?

WES: (GAN NESU ATI) Yyyym...

ELS: (YN FFLYRTIO) Medal?

WES: (YN FFLYRTIO) Na!

ELS: Beth *then?* (YN CHWAREUS) O! (YN PRYFOCIO) OK! Dere 'ma. (YN EI OGLAIS) Hyn? Ife? Ife?!

WES: (YN CEISIO DIANC) Na! (YN CHWERTHIN) *Get off! Get off* wnei di!

ELS: Ych! Ti'n damp!

WES: A ti!

ELS: Ry'n ni MOR debyg.

WES: Beth?

ELS: Ti a fi.

WES: Ti'n meddwl? Cŵl!

ELS: Ni yn erbyn y byd yndyfe?

WES: *Yeah,* os ti isie.

ELS: Fy arwr.

WES: *Yeah?* (CURIAD) (YN CHWARAE) *Is it a man?*

ELS: (YN YMUNO YN Y GÊM) *Is it a bird?*

ELS/WES: *No! It's … Super Wes!*

WES: *Super Wes!* 'Da *super powers!* (YN EI CHODI A'I CHWYRLÏO O GWMPAS TRA'N ESGUS HEDFAN) Hei, *come on.* Dere. Hedfana 'da fi. Lan lan lan.

ELS: Nes bod pawb arall yn fach fach fach.

WES: (YN TROELLI ELIN) Yn uwch ac yn uwch.

            MAE'R DDAU YN TROELLI YN GYNT A CHYNT.

ELS: Nes bod pawb arall yn diflannu.

WES: Yn uwch ac yn uwch. Allan o'r twll 'ma.

            MAEN NHW'N CWYMPO'N UN SWP.

ELS: (WEDI BRIFO) Awtsh! Awtsh!

WES: Sori!

ELS: Ma' isie i rywun stico *health warning* arnat ti!

WES: *Yeah?*

ELS: Awtsh!

WES: Sori Els!

            SAIB. MAE'N EI HASTUDIO HI.

            Mermaids yn beryglus 'fyd! Nag 'yn nhw?

14

ELS: Beth?

WES: Ffit! Gwneud i fois grasho'u cychod.

ELS: Beth?

WES: Cychod! Ar y creigie!

ELS: O! *Yeah.* OK.

WES: Ti'n eitha' ffit!

ELS: (YN PRYFOCIO) Eitha'?

WES: Ok! *Dead fit!* Dere 'ma.

           MAEN NHW'N CUSANU, WES O DDIFRI, OND MAE ELS
           YN TYNNU I FFWRDD.

ELS: Wes, na! Paid! OK?

           MAE WES YN COLLI DIDDORDEB YN SYTH.

           Ond cyn bo hir *though.* (YN EDRYCH O'I CHWMPAS) Rhywle
           gwell.

WES: (YN FRWDFRYDIG) *Yeah?* (CURIAD) Galla i gael benthyg car
           rywbryd os ti isie.

ELS: Beth?

WES: Car rili cŵl. (CURIAD) Mynd â ti rhywle.

ELS: *Yeah right!*

WES: Rhywle gwell! Fyddet ti'n dod 'da fi?

ELS: Ti ffili dreifo.

WES: Na?

ELS: (WEDI CAEL SIOC) Beth?

WES: Fyddet ti'n dod 'da fi?

ELS: Dwi'm yn gwybod! Wyt ti'n dreifo?

WES: 'Se ti'n dod 'da fi? Os o'n i?

ELS: Falle!

WES: Cŵl.

ELS: Ti'n *cŵl.* (CURIAD) Dwi'n dy garu di.

WES: *Yeah?*

ELIN: Ac?

          SAIB. DYDY WES DDIM YN YMATEB.

          (YN BENDERFYNOL) Ti'n fy ngharu i 'fyd!

WES: *Yeah?*

ELS: Dwi'n gwybod dy fod ti.

WES: *Yeah?*

ELS: *Yeah.* Ma' merched yn gwybod y pethe hyn nag y'n ni?

CERDDORIAETH. SŴN FFREUTUR YR YSGOL. MAE RHYS AC ELS YN BWYTA RHOLIAU.

RHYS: Sut ti'n gwybod?

ELS: Fi jyst yn gwybod. OK? (AM EI RÔL) Ti mo'yn hwn?

RHYS: (YN FRWD) *Yeah!*

MAE RHYS YN GWTHIO'R DDWY RÔL I'W GEG.

ELS: Rhys!

RHYS: (CURIAD) Betia i fod o 'di ca'l *loads* o ferched.

ELS: Nag yw ddim. A ta beth, ma' hyn yn wahanol. OK?

            SAIB

            Pam o't ti'n hwyr bore 'ma?

RHYS: Tractor.

ELS: Beth?

RHYS: Ar y *wibbly wobbly way.*

ELS: Beth?

RHYS: 'Na be ma' Jen yn galw'r ffordd o'n tŷ ni.

ELS: O. (CURIAD) Licien i ga'l chwaer.

RHYS: I be? (CURIAD) Dim lle i basio nag oes.

ELS: Ar y *wibbly wobbly way?*

RHYS: *Yeah. Racing track* Dad ma' Mam yn 'i alw fo.

ELS: (YN GWENU) Ife?

MAE RHYS YN GWNEUD SŴN CAR YN TEITHIO'N GYFLYM.

RHYS: Ti 'di gweld dad fi'n dreifio? *Brilliant. 0 to 60 in a* chwinciad chwanen.

ELS: *In a* chwinci ch*what?*

RHYS: *G-force* yn hitio'i wynab o, fel'ma! (FEL SYLWEBYDD RASIO) *'And he's on two wheels on the first bend.'*

ELS: Nag yw 'na'n beryglus?

RHYS: Na! Does na'm byd arall ar y lôn fel arfer nag oes? Ond *twenty miles an hour all the way* bore 'ma tu ôl i'r Ffyrgi! (CURIAD) O'dd Dad yn rhoid *loads* o *abuse* i'r dreifar!

ELS: O'dd e?

RHYS: *Yeah.* Ffarmwr lawr lôn! Doedd dim ots gan Dad. (BALCH) *Road Rage*! *It's a wonderful thing.*

SAIB.

So be sy gynno fo sy gen i ddim?

ELS: Pwy? Dy dad?

RHYS: O! Ych! *Gross* Els. Naci! – Wesley!

ELS: Corff *sexy!*

RHYS: *Cow!*

ELS: Sori!

RHYS: *You will be!* Pan dwi'n gyfreithiwr ac mae o ar *benefits!*

ELS:	O ca' dy ben. Fydd Wes ddim ar *benefits.*
RHYS:	Na?
ELS:	Ma' fe jyst mor glefer â ti!
RHYS:	Dim arian. Pa mor *sexy* 'di hynna? E?
ELS:	O *shut up!*
RHYS:	Neu ella fydd o'n y carchar!
ELS:	Fydd Wes ddim yn y carchar. Ti'm yn gwybod dim byd amdano fe. Ma' fe 'di cael amser caled.
RHYS:	*Yeah, so?*
ELS:	Ca'l 'i symud o un lle i'r llall drwy'r amser.
RHYS:	*So?*
ELS:	Fi'n hapus 'da fe.
RHYS:	(YN SYMUD EI FOL FEL BOLDDAWNSFERCH, ER MAWR SYNDOD I ELIN.) Wyt ti?
ELS:	(YN GWYLIO RHYS) Ry'n ni'n deall ein gilydd.
RHYS:	*How come?* (CURIAD. AM EI FOL) Ma' gynno fi *flat-pack!*
	(YN DDRYSLYD)
ELS:	*What?*
RHYS:	(YN CODI EI GRYS) Ti isio'i weld o?
ELS:	*Six-pack* Rhys!
RHYS:	Dwi'n gwbod! (YN SYMUD EI FOL) Riplo!

ELS: O paid â bod mor *disgusting*! Rho fe i gadw!

RHYS: Digon teg *Chocolate Chip*!

ELS: (CURIAD) Fi'n gallu ymlacio pan dwi 'da fe. Ma' fe'n deall shwt ma' pethe'n gallu bod 'da rhieni.

RHYS: *Yeah?* (CURIAD) Ydy o 'di bod yn eich tŷ chi?

ELS: Na! Dyw e ddim isie.

RHYS: O.

MAE RHYS YN YMARFER SYMUDIAD IOGA.

ELS: (YN GWYLIO RHYS MEWN SYNDOD) Pam fydde fe?

RHYS: *Yeah!*

ELS: Rhys, beth wyt ti'n 'neud?

RHYS: Ioga!

ELS: *Whatever!* Eniwe, bydde Mam a Dad yn stopo fi 'i weld e os bydde fe'n galw.

RHYS: Achos 'i fod o'n seico?

ELS: Nage!

RHYS: Ffrîc?

ELS: Na! Ca' dy ben. Dyw e ddim OK? (CURIAD) Dy'n nhw ddim isie i fi ga'l bywyd, 'na pam.

RHYS: 'Life starts after arholiadau', Elin!

ELS: Tasen nhw'n gallu fy *fast forwardio* fi bum mlynedd, bydden nhw'n 'neud 'ny.

RHYS: *Yeah. Pubes, acne, plus* rhieni sy'n colli'r plot. Grêt bod oed ni dydi?

ELS: Sdim byd yn bwysig i Mam a Dad, dim ond beth dwi'n mynd i'w wneud pan fi'n tyfu lan.

RHYS: Beth wyt ti'n mynd i'w 'neud?

ELS: O Rhys! *Shut up!* Ti fel hen fenyw!

RHYS: *Sexist.*

ELS: Cau dy ben. Dwi'm yn gwybod 'to, ydw i?

RHYS: Maen nhw i gyd 'run fath Els.

ELS: *No way!* Ma' fy rhieni fi'n wa'th na rhieni pawb arall 'da'i gilydd.

RHYS: Maen nhw i gyd 'run fath dwi'n deud 'tha ti! *Fortysomethings!* Wedi'u rhaglennu i fod yn boen. *Clones.*

ELS: Ond ti'n OK 'da'r holl beth nag wyt ti?

RHYS: *Yeah* am wn i.

ELS: Ti'n lwcus. Ti byth yn mynd i 'neud dim byd o'i le wyt ti?

RHYS: Yn ôl pob tebyg!

ELS: Ti byth am siomi neb.

RHYS: Els! Be sy?

         SAIB.

ELS: Dwi'n gadael ar ôl eleni.

RHYS: (MEWN SYNDOD) Be? *No way*!

ELS: Fi 'di ca'l llond bol.

RHYS: Gadael ysgol? Ers pryd? *No way. No way!*

CERDDORIAETH.

SŴN IARD YSGOL.
MAE RHYS AR EI BEN EI HUN, YN BWYTA CREISION, TRA
BO WES AC ELIN YN SIARAD.

ELS: *No way* Wes OK?

WES: Dim yn ddigon da i ti ydw i?

ELS: Wyt!

WES: Ni'n rhy wahanol.

ELS: Nag y'n! (YN GWELD RHYS) Haia!

WES: (WRTH RHYS. YN FYGYTHIOL) *Get lost!*

            MAE RHYS YN GADAEL AR FRYS.

            (WRTH ELS) Fyddwn i ddim yn ffitio mewn fyddwn i?

ELS: Byddet.

WES: Wel gad fi ddod draw *then*.

ELS: I beth?

WES: I gwrdd â'r teulu!

ELS: *No way!* Pam?

WES: Dwi jyst isie.

ELS: I beth?

            WES YN CODI'I YSGWYDDAU.

            Fi'n gorfod adolygu heno, neu byddan nhw'n dechre arna i 'to.

WES: *Yeah?*

ELS: *Yeah.*

WES: Ma' mis neu rywbeth cyn dy *exams* di.

ELS: *Exams* pwy?

WES: Dwi ddim yn 'u gwneud nhw.

ELS: Beth?

WES: I beth? Fydd neb yn becso.

ELS: Ti'n lwcus. Mae 'na'n *so not fair!*

         SAIB.

         Fi 'di cwmpo ma's 'da Mam a Dad yn barod heddi. Byddan nhw'n
         mynd yn seico os bydd rhywun yn dod adre 'da fi.

WES: O.

ELS: A ti ddim isie gweld Dad mewn tymer, cred fi!

WES: Na? (CURIAD) Benes i lan yn *casualty* un tro ar ôl i Dad wylltio.

ELS: (WEDI CAEL BRAW) Do fe? (CURIAD) Bwlis, nag y'n nhw? Pob
         un.

WES: *Yeah.* Fydde fe ddim yn digwydd nawr dwi'n deud 'thot ti. (YN
         GRAC) Ac os yw dy dad di'n cyffwrdd â ti 'to …

ELS: Beth?

WES: Os yw dy dad di'n dechre arnat ti 'to, jyst dwed, OK?

         ER NAD YW TAD ELIN YN EI CHURO HI, NID YW HI'N
         CYWIRO CAMSYNIAD WES.

ELS: (CURIAD) *Yeah.* (CURIAD) OK.

WES: Wna i sortio fe ma's i ti.

ELS: Cŵl. (CURIAD) Diolch.

SAIB.

Bydd pethe'n wahanol ar ôl yr arholiadau. Fi'n addo. Gallwn ni dreulio mwy o amser 'da'n gilydd a phethe…

WES: *Yeah?* (CURIAD) Fi 'rioed 'di bod ma's 'da neb mor hir â 'na.

ELS: (YN BRYDERUS) O! nag wyt ti?

WES: (YN SYLWI AR EI PHRYDER) Na.

ELS: (YN SIOMEDIG) O!

SAIB.

WES: (YN MANTEISIO AR EI HANSICRWYDD) O's amser 'da ti ar ôl ysgol? Cyn mynd adre?

ELS: I beth?

WES: (YN YMBILGAR) Mynd draw i le Ben?

ELS: Lle Ben?

WES: Ma' lle Ben yn OK nag yw e?

ELS: (YN ANSICR) Wel … yyym …

WES: Lle gwell na lle Steve!

ELS: (YN BETRUS) Yyym. Fydd 'na rywun gatre?

WES: Bydd. Ond aiff e ma's os dwi'n gofyn iddo fe.

ELS: O?

WES: *Yeah*. Os ni isie.

ELS: (YN ANSICR) O.

WES: Sdim unman arall 'da ni o's e?

ELS: (CURIAD) Wel … (YN ANSICR) OK!

WES: Ni yn *serious* nag y'n ni?

ELS: Y'n ni?

WES: Wel fi yn. Wyt ti?

ELS: *Yeah!* (CURIAD) (YN FWY SICR) *Yeah.* OK.

WES: *Yeah?* (WRTH EI FODD) Siŵr?

ELS: Yyym…

WES: Cŵl. (CLYWIR CLOCH YR YSGOL) Be sy 'da ti prynhawn 'ma?

ELS: Maths gynta'. Be sy 'da ti?

WES: Dwi'n mynd i'r dre'. Ond lle Ben OK? Hanner awr wedi tri.

ELS: (YN ANSICR) O wel, … dwi'm yn gwybod. Falle!

WES: O *come on* Els! Plîs? (MAE WES YN EI CHUSANU HI.)
           Dwi'n dy garu di.

ELS: (WEDI'I PHLESIO) Beth wedest ti?

WES: Dim.

ELS: Do fe wnest ti.

WES: Naddo.

ELS: Glywes i ti Wes. (CURIAD) Dwi'n dy garu di 'fyd. Ond ti wedodd e
         gynta' y tro hyn! (MAE HI'N EI GUSANU'N GYFLYM.)
         Dwi'n mynd. Wela i di. OK?

WES: Tŷ Ben?

ELS: (YN SICR) Ie.

WES: *Definite?*

ELS: *Yeah* OK!

         MAE ELIN YN GADAEL. MAE WES YN DATHLU.

WES: *Yes!*

CERDDORIAETH.

SŴN PLANT MEWN DOSBARTH.

MAE RHYS WEDI CYNHYRFU, AC MAE'N STWFFIO
CREISION I'W GEG. MAE ELIN YN CYRRAEDD WEDI
BLINO'N LÂN. MAE'N GORWEDD GAN ROI EI PHEN AR
LIN RHYS, A MALU EI GREISION.

ELS: (YN FALCH O GAEL GORFFWYS) *Yes!*

RHYS: (MEWN PANIC) Na! (AM Y CREISION) Ti 'di rhoi gwallt yn 'y
mag i!

ELS: Rhys! Paid â gweiddi!

RHYS: Lle oeddet ti neithiwr? *Major disaster!*

ELS: *Yeah?*

RHYS: Deg o'r gloch y nos, a golles i bob dim!

ELS: (YN HANNER GWRANDO) Ma' *doubt* 'da fi!

RHYS: Mi wnes i! (YN SYLWI BOD ELS WEDI BLINO) Els! Be sy? Wyt
ti'n OK?

ELS: Dwi'n *shattered* Rhys.

RHYS: *Yeah?*

ELS: *Yeah. So* ca' dy ben, reit?

RHYS: Pam?

ELS: Ti'n rhoi pen tost i fi!

RHYS: Naci! Pam bo chdi'n *shattered?*

ELS: *Sleep-over* Rhys! 'Da Sara.

RHYS: Ti byth gartra.

ELS: *I wish!*

RHYS: Ers wythnosa.

ELS: *So?* (CURIAD) (AM Y CREISION) Pam bo ti'n stwffio'r rheina?

RHYS: *Stressed* Els.

ELS: Pa flas?

RHYS: *Eating disorder.*

ELS: Eh?

RHYS: Halen a finegr!

ELS: *O puke!*

RHYS: *Comfort eating*, Els. Achos bydd rhaid i fi 'neud y cyfan eto rŵan.

ELS: (WEDI DRYSU) Beth?

RHYS: Daearyddiaeth.

ELS: Beth?

RHYS: Gwaith cartre.

ELS: (YN COFIO NAD YW HI WEDI'I WNEUD) O na!

RHYS: Ac os bydd fy nghyfrifiadur i'n crasho eto … bydda i'n … bydda i'n … 'i luchio fo allan drwy'r ffenest.

ELS: Ar ben car newydd dy dad di?

RHYS: Ia. (CURIAD) Wel naci! Hwyrach ddim!

ELS: Pam ma' angen car fel'na arno fe?

RHYS: Be! TVR, Pedwar litr, chwe silindr …

ELS: *Whatever!* Ydy e ar y *pull* neu beth?

RHYS: Elin! Ti'n siarad am Dad! Mae o'n gorfod teithio lot dydi, efo'i job o. Mae o angen car da. (CURIAD) Dwi'n mynd i ga'l Subaru Impreza neu (MAE'N ENWI RHESTR O GEIR 'SPORTY') pan dwi'n dechra dreifio. (CURIAD) O'dd Sara'n ca'l pen-blwydd?

ELS: Beth? (YN DEALL) O! Na.

RHYS: *Girly night in* ia?

ELS: O gad fi fod Rhys.

RHYS: *Nose-spas* a *brain masks* a phetha?

ELS: Rhys!

RHYS: Gwylio *chick-flicks* tan oria mân y bora! Be o'dd o? *Miss Congeniality* ia? (YN CANU) *He wants to love you. He wants to marry you!* (YN SIARAD) Oeddech chi'n gwisgo pyjamas? O! 'swn i 'di mwynhau bod yna.

ELS: Rhys! Dwi'n *shattered*, OK?

RHYS: OK. (CURIAD) Els.

ELS: Beth?

RHYS: Ga i fenthyg dy un di?

ELS: Beth?

RHYS: Y gwaith cartre. Plîs? Dim ond y tro yma. Wna i 'neud beth bynnag ti isio. *I'll be your slave!* (CURIAD. YN SYLWEDDOLI) O na! Ti'm 'di 'neud o, naddo?

ELS: Nagw.

RHYS: O *no! No!* Naaaaaa!

ELS: Rhys!

RHYS: *Biatch!* Dwi'n *doomed* rŵan!

ELS: Jyst gad fi fod nawr 'nei di?

RHYS: O'n i isio'i fenthyg o!

ELS: O sori!

RHYS: O wel, o leia bydd y ddau ohonon ni'n cael *bollocking* rŵan, ddim jyst fi!

ELS: Dwi'm yn becso.

RHYS: Wel mi ydw i! – Dim llawer, *obviously*! – Ti'n meddwl bydd Mr Jones yn 'y nghredu i?

ELS: (YN PRYFOCIO) Na.

RHYS: (YN BENDANT) Ond dwi'n deud yr *honest-to-God truth!*

ELIN: *Yeah, right!*

RHYS: (DAN DEIMLAD) Crasho wnaeth o.

ELS: Rhys.

RHYS: Dwi'n deud 'that ti! Y cyfrifiadur. Crasho.

ELS: Fi'n gwybod.

RHYS: (DAN DEIMLAD) *Piece of…*

ELS: Rhys!

RHYS: Be?

ELS: Jyst ca' dy ben OK? Sdim ots 'da fi beth sy wedi crasho 'da ti. Jyst *log off* wnei di.

RHYS: Be?

ELS: *Log off*!

RHYS: E?

ELIN: *Now!*

CLYWIR SŴN TRAFFIG. MAE WES AR OCHR FFORDD BRYSUR. MAE'N CAEL SGWRS FFÔN GYDA'I WEITHIWR CYMDEITHASOL.

WES: *Where?* (CURIAD) (YN GWRANDO*) No way! I'm all-right where I am aren't I?* (CURIAD) (YN GWRANDO) *Why can't I?* (CURIAD) (YN GWRANDO) *They're having you on Mike.* (CURIAD) (YN GWRANDO) *I do sleep there.* (CURIAD) (YN GWRANDO) *Yeah. OK! OK! Sometimes I don't.*

SAIB. YN GWRANDO.

Well why can't I go back to where I was before them then? Yeah. They were OK. (CURIAD) (YN GWRANDO) *Oh.* (CURIAD) (YN GWRANDO) *No way man! No way!*
Why can't I go back to my old man's house then? (CURIAD) (YN GWRANDO) *I know he is.* (CURIAD) (YN GWRANDO*) I know he doesn't. I could handle it now. I could! I know what they're like.* (CURIAD) (YN GWRANDO) *Why can't I?* (CURIAD) (YN GWRANDO) *No. You tell me! You're the social worker.* (CURIAD) (YN GWRANDO) *OK. Yes I'll go. Tonight. Yes. I'll say I'm sorry. But it's not fair. Tonight.* (CURIAD) *Yes. OK!*

CERDDORIAETH.

FFLAT BEN.

MAE'R AWYRGYLCH YN DDIFLAS. MAE WES YN YFED
FODCA YN SYTH ALLAN O BOTEL. MAE'N ANFON NEGES
DESTUN. MAE ELIN WEDI PWDU.

ELS: Pwy ti'n tecstio?

WES: Steve?

ELS: Pam ti'n 'i decstio fe? (CURIAD) Wes. Fi isie siarad 'da ti.

WES: Wel fi ddim isie OK? (CURIAD) Ti'n rhy *serious* weithie. 'Na'r cwbl
           wedes i.

ELS: Nag y't ti'n *serious* amdano i 'fyd?

WES: *Yeah.*

ELS: Wel os y't ti, – gofyn i Ben. (CURIAD) Plîs? (CURIAD) Bydde Ben
           yn fodlon i ni aros fan hyn falle. Os byddet ti'n gofyn iddo fe.

WES: Fydde fe ddim. (CURIAD) Dwi'n gorfod crasho ble fi fod weithie,
           OK?

ELS: Fi ddim isie mynd adre.

WES: Fi'n ca'l hasl 'da'r gweithiwr cymdeithasol os fi ddim yn troi lan, a ti
           ddim isie byw fan hyn wyt ti?

ELS: Ma' fe'n well na 'nhŷ fi.

WES: Nag yw ddim Els.

ELS: Ydy ma' fe.

WES: Ma'ch tŷ chi'n masif. Dwi 'di ei weld e.

ELS: Beth?

WES: Galwes i rownd. Paid poeni. Doedd neb i mewn.

ELS: *Stalker!* (CURIAD*) Yeah.* Ok. Tŷ mawr. *So what?*

WES: *So what?*

ELS: Ma' nhw'n pigo arna i drwy'r amser gatre.

WES: Fi'n gwybod.

ELS: *Mental cruelty* dwi'n dweud 'thot ti.

WES: *Yeah,* fi'n gwybod Els!

ELS: Maen nhw'n meddwl 'u bo nhw'n berchen arna i. Fod 'da nhw'r hawl i benderfynu popeth. Sdim llonydd i'w gael. (CURIAD) Plîs gaf i aros fan hyn, 'da ti? Plîs Wes?

WES: Pam mae popeth bob amser amdanat ti?

ELS: Beth?

WES: O dim byd.

ELIN: Na! Be ddwedaist ti?

WES: Dim byd. (CURIAD) Wna i ofyn i Ben, OK?

ELS: Wnei di?

WES: *Yeah.* (SAIB) Dwi'n gwybod shwt ti'n teimlo Els.

ELS: Ti yw'r unig un sy'n deall shwt beth yw e.

WES: *Parents from hell.*

SAIB. MAE WES YN CYNNIG FODCA I ELIN.

Ti isie peth?

ELS: OK!

MAE HI'N YFED OND YN PESYCHU.

WES: Ti dal ddim yn hoffi fe wyt ti?

ELS: Na. Ond dwi'n hoffi anghofio am bawb sy'n haslo fi.

WES: *Yeah.* O's arian 'da ti?

ELS: *Control freaks.*

WES: Els?

ELS: (YN YFED MWY ETO) – *Thought police.*

WES: Els!

ELS: By'n nhw'n sori!

WES: O's arian 'da ti?

ELS: Oes. *Eight quid.* Arian cinio. Pam?

WES: O leia' ma'n nhw'n cofio dy fwydo di!

ELS: *God!* Bydde Mam yn dod i'r ysgol a 'mwydo fi ei hunan, 'da llwy, os bydde hi'n ca'l.

WES: Ma' peth arian 'da fi 'fyd, *so ...*

ELS: (YN YFED MWY O FODCA) Gwneud yn siŵr bo fi'n bwyta'n deidi. Dim sglodion, dim creision, a beth bynnag ddigwyddith, dim diodydd *fizzy!*

WES: (YN CIPIO'R BOTEL FODCA) *Good job* fod fodca ddim yn *fizzy* 'ta!

ELS: Ie. (CURIAD) *Sad!* Dwi ddim isie bod fel Mam pan fi'n tyfu lan.

WES: Dwi ddim isie bod fel Dad! (CURIAD) Ti ddim isie cinio ysgol wythnos hyn wyt ti?

ELS: (WEDI DRYSU) Nag 'w i?

WES: Na. Drwg i ti! A ma' *day off* 'da ti o'r ysgol heddi.

ELS: O's e? Cŵl! Pam?

WES: (YN BETRUS) Dwi'n gwybod ble gallwn ni brynu rhywbeth.

ELS: (YN ANSICR) O! Wyt ti? (CURIAD) O dwi'm yn siŵr Wes.

WES: Dim byd *heavy.* Ti isie?

ELS: (YN ANSICR) Wel … dim ond os wyt ti'n addo edrych ar fy ôl i.

WES: Hei! Bydd *Super* Wes yn gwneud ei orau! Reit! *Mission.* Ffonia i'r bois. Wyt ti'n gallu dreifo?

ELS: Nagw!

WES: Na? O! – Ti isie dysgu?

YSTAFELL WELY RHYS. MAE'R CERDDOR YN CHWARAE 'I BELIEVE IN A THING CALLED LOVE' – *THE DARKNESS*. MAE'R GERDDORIAETH YN UCHEL, AC MAE RHYS YN CANU AMBELL GYMAL, A CHWARAE GITÂR AWYR ETC. MAE'N CLYWED EI FAM YN GWEIDDI ARNO I DAWELU'R SŴN.

RHYS: (YN GWEIDDI ATEB DIAMYNEDD) OK Mam! Sori! (CURIAD) (YN GWRANDO. YN ATEB) *Darkness.* (CURIAD) (YN GWRANDO) Nac'dach? Dwi yn! (CURIAD) (YN GWRANDO) OK! Wna i ei droi i lawr!

MAE'R GERDDORIAETH YN TAWELU WRTH I RHYS OSTWNG Y SAIN. MAE'N MYND DRAW AT EI LINIADUR.

(YN TEIPIO)

Chocolatechip@hotmail.co.uk

(CURIAD)

Els,
Attachment i chdi. Gwaith gollest ti wythnos diwetha'. Lle oedda chdi? *Yeah,* dwi'n gwybod …. Dwi'n *sad*!

SAIB.

(YN TEIPIO)

Un o fois y *Darkness* yn *bulimic*. Wedi cyfaddef yn *Hello!* Copi chwaer fi! *Obviously!* Isio i bobl wybod bod bwyta gormod a chwydu yn *boy thing too*. Dwi'n meddwl 'mod i'n *bulimic* – jyst bo fi'm yn gwneud y chwydu *bit*. Ho ho ho ho!

(YN MEDDWL YN UCHEL)

So?

(YN TEIPIO)

Wyt ti efo dy *druggy no good fat ugly freak brain arse pain* – *God* dwi'n
'i gasáu o – *boyfriend,* heno?

(YN MEDDWL YN UCHEL)

Delete! Os w't ti isio cadw dy *balls* Rhys. *You never know. They might
come in useful one day!*

(YN TEIPIO)

Os wyt ti ddim efo Wes heno, cysyllta. Dim *credit* ar fy ffôn i.
Rhys – *love-god* – Evans.

(YN MEDDWL YN UCHEL)

Na. *Delete. Definitely delete!* Jyst (YN TEIPIO) Rhys.

(YN MEDDWL YN UCHEL) *Send.*

MAE'N EDRYCH O AMGYLCH Y STAFELL YN UNIG. MAE'N
GWEIDDI I LAWR AT EI FAM.

(YN GWEIDDI) Mam! Mam! Ga i *hot chocolate?*
(CURIAD) (YN GWRANDO) O! *Mean!*

CERDDORIAETH.

SŴN FFREUTUR YSGOL AMSER CINIO.

MAE RHYS YN YFED O'R CAN SYDD YN EI LAW.

RHYS: Na! *Oh my God!*

ELS: Dwi'n *shattered*!

RHYS: Ti'm yn gall!

ELS: Ti yw'r unig un sy'n gwybod, felly paid dweud OK?

RHYS: OK.

ELS: Bydde Mam a Dad yn mynd yn *ballistic*!

RHYS: Dy'n nhw'm yn sylwi bo chdi ddim yna?

ELS: *Yeah* weithie! Ma'n nhw'n meddwl bo fi mas 'da ffrindie.

RHYS: Sara?

ELS: *Yeah*. A ti!

RHYS: Fi? O *cheers!* (CURIAD) Ti *off* dy ben.

ELS: Ma' fe'n *buzz* Rhys!

RHYS: Gwell na snogio fi yn Blwyddyn Chwech?

ELS: Bet o'dd 'na! 'Snog-a-Gog'!

RHYS: Be? *Serious?*

ELS: Nage! *Stupid!*

RHYS: Elin!

ELS: Ni 'di gwneud e *loads* o weithie. Ma' canol dre' fel *race-track* weithie yn orie mân y bore.

RHYS: (MEWN SYNDOD) Canol dre'?

ELS: *Yep.*

RHYS: *No way!* (CURIAD) Ma' Dad am fynd â fi i'r traeth pan dwi'n dechra dysgu dreifio.

ELS: (YN NAWDDOGLYD) *Yeah?* Grêt! (CURIAD) O's arian 'da ti?

RHYS: Na.

ELS: Wedi colli fy mag i rywle.

RHYS: *Yeah.*

ELS: Be?

RHYS: Sgen ti byth ddim pres ddim mwy.

ELS: Nid arna i ma'r bai fod Mam a Dad yn anghofio rhoi arian i fi!

RHYS: O'n i'n meddwl mai 'di colli dy fag oeddet ti!

ELS: O *whatever!*

SAIB. MAE RHYS YN CYNNIG Y *COKE* I ELIN.

RHYS: Ti isio?

ELS: Siŵr?!

RHYS: *Yeah.*

MAE ELIN YN YFED YN DDWFN O'R *COKE.*

Hoi! *Diet Coke* fi 'di hwnna! (CURIAD) Plîs paid â gwneud hynna eto.

ELS: Beth? Rhoi lipstic ar dy gan *Coke* di?

RHYS: Naci!

ELS: (AM Y GYRRU) Dwi'n hoffi fe Rhys. Ma' fe'n gwagio dy ben di.

RHYS: Plîs paid Els.

ELS: Pam? Ma' dy dad di'n gyrru'n gyflym! Pam 'i bod hi'n iawn iddo fe ond ddim i fi?

RHYS: Ma' gynno fo leisans!

ELS: Dim Mam, dim Dad, dim arholiadau. Pen hollol wag. Bob dim yn *blur*. Pethau'n gwibio heibio.

RHYS: Dwi'n methu disgwyl tan bo fi'n ca'l leisans.

ELS: Cyflym. Rili cyflym Rhys! Ti'n teimlo'n rhydd. Ti'n teimlo'n fyw!

RHYS: Ia, ond mae o'n beryg dydi?

ELS: *Yeah?*

RHYS: 'Sa chdi 'di gallu marw!

ELS: *So?*

RHYS: Idiot!

ELS: Be? (CURIAD. WEDI GWYLLTIO) O, fi'n gwybod nawr pam mae dy dad di'n gyrru mor gyflym! Falle fod e'n gobeithio y bydd e'n mynd syth mewn i'r tractor 'na lawr hewl chi rhyw ddydd. Ar sbîd! Fel bod e byth yn gorfod gwrando ar dy lais *stupid* di byth eto!

RHYS: (WEDI'I FRIFO) *Get lost* Elin. (CURIAD) Els wyt ti'n OK?

ELS: Dwi'n ffantastig! (CURIAD) A'th Wes â fi nôl, reit lan at y gât ffrynt neithiwr. Saith deg dros y *speed bumps!*

RHYS: *No way!* (CURIAD) Wna'th dy ben di hitio to y car? 'Chos 'sa hynny'n esbonio lot!

ELS: O ha ha Rhys!

          SAIB.

RHYS: Pa fath o gar oedd o?

ELS: Neithiwr? Coch!

RHYS: Car pwy ta?

ELS: Shwt dwi fod i wybod?

RHYS: Be? (CURIAD) Dydi o ddim hyd yn oed yn ddigon hen i yrru.

ELS: Ma fe'n gallu, *so* ma fe yn!

RHYS: Ia! Ond dydi o ddim i fod i yrru, nac'di!

ELS: (YN DYNWARED) 'Ddim i fod i yrru, nac'di'. *Get a life.*

RHYS: *Got a life!*

ELS: *Yeah?* Sdim gyts o gwbl 'da ti. Fyddet ti byth yn gwneud be ma' fi a Wes yn ei wneud fyddet ti?

RHYS: *So?*

ELS: Whare *computer* yn dy stafell wely! *Dead* cŵl, Rhys!

RHYS: Mwy cŵl na dwyn ceir dydi?

ELS: Benthyca nage dwyn! Ti mor boring Rhys.

RHYS: Dwi ddim!

ELS: Mami a Dadi sy'n penderfynu popeth i ti.

RHYS: Naci, wel, OK, ia, ond … *So what?* Cwpl o flynyddoedd eto, a bydda i ar *gap year*!

ELS: *Gap year?* Prat! 'Na pam bo fi 'da Wes a ddim 'da ti!

RHYS: Be? (CURIAD) 'Sa ti efo fi 'sa ti ddim efo fo?

ELS: *Yeah right!* Dwi ddim yn gwybod os dwi'n dy hoffi di rhagor hyd yn oed.

MAE RHYS WEDI'I FRIFO. CURIAD.

Ni 'di ca'l digon, Wes a fi. Dy'n ni ddim yn becso dam am rieni.

RHYS: Ond dydi o ddim yn byw efo'i rieni nac'di?

ELS: Dyw e ddim isie.

RHYS: Na?

ELS: Na. Ro'n nhw'n gas 'da fe, a dwi'n gwybod shwt ma fe'n teimlo.

RHYS: Na dwyt ti ddim! Ma' ots gan dy rieni di amdanat ti.

ELS: *Oh yeah!* Ots bo fi ddim yn camfihafio. Ots bo fi ddim yn rhoi lle i bobl siarad.

RHYS: Naci.

ELS: Ots bo fi'n pasio cymaint o arholiade â phlant eu ffrindie nhw.

RHYS: *Yeah well!* Wnei di ddim rŵan, wnei di?

ELS: Be? (CURIAD) *Get lost* Rhys. Ti'm yn gwybod dim byd OK? Ma' Mam a Dad yn … boen.

RHYS: Bywyd bob dydd ddim yn ddigon cŵl i ti?

ELS:	Cau dy geg!
RHYS:	Fyddi di a Wes ddim yn para.
ELS:	Na?
RHYS:	*No way!*
ELS:	Dwi'n ffitio mewn 'da Wes a'i ffrindie.
RHYS:	*Yeah right!* Ti jyst yn smalio.
ELS:	Smalio?
RHYS:	Esgus.
ELS:	Nagw! (CURIAD) Dwi ddim yn ffitio i mewn gatre.
RHYS:	Does 'na neb yr un oed â ni yn 'ffitio i mewn gatre' Elin.
ELS:	*Get lost* OK? *Loser.*
RHYS:	Fi?
ELS:	*Yeah!*
RHYS:	Fi?
ELS:	*Yeah!*
RHYS:	*Right back at yah!*
ELS:	Cer i grafu wnei di.
RHYS:	OK iawn!
ELS:	Cer i grafu!
RHYS:	(CURIAD) Be, rŵan?

ELS: *Yeah!*

RHYS: OK! (WRTH FYND) Dwi'n mynd.

ELIN: Dwi ddim isie dy weld ti 'to. Dwi ddim hyd yn oed yn gwybod pam
           dwi'n boddran siarad 'da ti! Ti'n genfigennus ohona i a Wes achos
           fydde neb byth yn dy ffansïo di! *Geek!*

           MAE RHYS YN GADAEL.

           (YN DIFARU) O na!

CERDDORIAETH.

MAE WES AC ELIN MEWN CAFFI. MAE ELIN YN TEIMLO'N
DDIFLAS. MAE WES YN DISGWYL AM RYWUN.

WES: Ble ma' nhw?

ELS: Shwt ydw i fod i wybod?

WES: Ni fod i gyfarfod 'ma.

ELS: O's rhaid i ti 'u gweld nhw heddi 'to?

WES: *Yep.*

ELS: Pam?

WES: Teulu.

ELS: Teulu?

WES: *Yeah.* Ry'n ni fel teulu nag 'yn ni? Y bois a fi.

ELS: Ma' 'da ti deulu.

WES: Pwy? Mam a Dad?

ELS: Nage Wes! Fi!

WES: O! *Yeah.* Sori! (CURIAD) Dwi'n llwgu. O's arian 'da ti?

ELS: Defnyddia dy arian dy hunan.

            SAIB.

WES: Els! Beth sy'n bod?

            MAE ELS YN CODI EI HYSGWYDDAU.

Dwed.

ELS: Sori. Dim byd.

WES: Ma' rhywbeth yn bod.

ELS: OK. Popeth, OK?

WES: Fi?

ELS: Na. Popeth ond ti.

SAIB. MAE ELIN YN DANGOS PIN ANGEL I WES.

Fi 'di prynu hwn.

WES: (YN HANNER GWRANDO) Cŵl.

ELS: Angel bach. Punt.

WES: Punt!

ELS: *Yeah.* Ti mo'yn un?

WES: Na.

ELS: Af i i nôl un i ti.

WES: *Chick-thing* dwi'n credu Els.

ELS: Os wyt ti'n 'i wisgo fe, mae fe'n dy warchod di.

WES: Fel *bodyguard?*

ELS: *Sort of.*

WES: Ti ddim angen *bodyguard* wyt ti? Fi 'ma i sorto pethe ma's i ti.

SAIB.

48

	Oes diafol i'w ga'l? 'Da chynffon a chyrn?
ELS:	Na! Fydde diafol ddim yn dy warchod di fydde fe?
WES:	Dwi ddim isie neb i 'ngwarchod i. Dwi'n gallu gofalu amdana i fy hun.
ELS:	Dwi'n gwybod.
WES:	Gorfod.

SAIB.

Becso am arholiadau?

ELS:	Na! (CURIAD) Rhy hwyr nawr beth bynnag.
WES:	*Yeah?*
ELS:	*Yeah.* O dwi ddim yn gwybod reit? Falle. *Don't care.*

SAIB.

Weithiau fi'n gwneud fy ngore i weld angel.

WES:	*No way!*
ELS:	Wnest ti hynny? Yn y gwely? 'Plîs, plîs, plîs, os chi'n bod, dangoswch eich hun i fi. Nawr! *Come on!* Plîs?' Ond wedyn dwi'n dychryn, 'Na, sori angylion, do'n i ddim o ddifri! Peidiwch â dod 'ma! Plîs. Dwi ddim isie'ch gweld chi'.
WES:	*Yeah,* wel paid â galw un i lawr pan dwi 'da ti!
ELS:	Pam? Fydde ofn arnat ti?
WES:	Na! (YN PRYFOCIO) Gwely bach Ben yn eitha' *crowded* 'da dim ond ni'n dau nag yw e?

ELS: Ca' dy ben Wes! Ai dyna'r cwbl ti'n meddwl amdano fe?

WES: Na! (CURIAD) Dwi'n meddwl am bêl-droed 'fyd weithie!

         SAIB.

ELS: Wyt ti'n meddwl bod angylion yn bod?

WES: Na.

ELS: Mor sicr â hynny?

WES: *Yeah.*

ELS: Tawel ma'n siŵr. Dwyt ti'm yn meddwl? Lan 'na?

WES: Lan ble?

ELS: Hardd. Pluog. Meddal.

WES: *Earth calling* Elin!

ELS: Neb yn haslo.

WES: Ti'n siarad *complete crap* weithie!

ELS: Na dwi ddim!

WES: Beth sy'n bod?

ELS: Bob dim. Wedes i!

WES: Beth?

ELS: Teimlad gwag.

WES: Ddim wedi bwyta ers dyddie wyt ti? *Speed* sy'n gwneud 'na i ti. Ma'r diwrnod wedyn yn crap.

ELS: Dwi'n siomi pawb.

WES: Paranoia. *Speed.*

ELS: Pawb yn fy nghasáu i.

WES: Ti'n gweld!

              SAIB.

              O's rhywbeth wedi digwydd? Gatre?

ELS: Na. (CURIAD) Wel, dim byd gwaeth na'r arfer.

WES: (YN FYGYTHIOL) Sortia i fe ma's i ti. Dy dad.

ELS: *Yeah. Yeah* fi'n gwybod. Wes … (CURIAD)

              MAE ELS AR FIN CYFADDEF EI BOD WEDI DWEUD
              CELWYDD YNGLŶN Â'I THAD YN EI CHURO HI, OND
              MAE'N AILFEDDWL AR Y FOMENT OLAF.

              … 'sdim rhaid i ti aros 'ma os bydde'n well 'da ti fod 'da dy ffrindie.

WES: (DDIM YN DEALL) Beth? (CURIAD. MAE WES YN MEDDWL
              BOD ELS YN FEICHIOG.)

              Els! Sdim byd 'da ti i ddweud wrtha i oes 'na?

ELS: Beth? (YN DEALL) *No way!*

WES: Bydde fe'n OK! Fyddwn i ddim yn becso. Fi isie lot o blant.

ELS: (WEDI'I SYNNU) Beth?

WES: A byddan nhw'n cael popeth.

ELS: *Yeah?* Nawr pwy sy'n siarad crap?

WES: Beth?

ELS: Shwt ma'n nhw'n mynd i ga'l popeth Wes?

WES: Bydda i'n sorto fe.

ELS: O! Fyddi di?

WES: *Yeah!* Tŷ mawr fel eich tŷ chi. A *loads* o sylw. Bydda i'n caru 'mhlant i, a byddan nhw'n fy ngharu i. Dwi'n mynd i weithio'n galed. *Serious.*

ELS: *Yeah?* Dechre pryd? (CURIAD) Fydd *benefits* ddim yn prynu lot fyddan nhw?

WES: Bydd busnes fy hunan 'da fi.

ELS: Be! Yn gwerthu cyffurie?

WES: Hisht! Nage! (CURIAD) *No way!* Dwi ddim yn gwybod beth 'to ydw i.

ELS: Mae dy ben di yn y cymyle.

WES: Wel ti wedodd bydde hi'n neis lan 'na!

         SAIB.

         So ti ddim mo'yn bod yn fam i sbrogs fi?

ELS: Dwi'm yn gwybod.

WES: Byddet ti'n grêt fel mam.

ELS: Fyddwn i ddim. Dwi'n gwneud llanast o bopeth yn barod. (CURIAD) Dwi hyd yn oed wedi cwmpo ma's 'da Rhys.

WES: *So?*

ELS: Ni'n ffrindie.

WES: *Yeah?*

ELS: Ers blynydde.

WES: (CURIAD) Ti'n 'i ffansïo fe.

ELS: Nagw!

WES: Wyt, rwyt ti.

ELS: Dwi ddim, reit?

WES: (YN SÔN AM RHYS) *Posh git.*

ELS: Rhys?

WES: Rwyt ti a fe'n debyg nag y'ch chi?

ELS: *Get lost!* Dwi ddim yn debyg iddo fe. A dwi ddim yn 'i ffansïo fe! Dwi 'di cwmpo ma's 'da fe, a dwi'n becso.

WES: (YN DDIRMYGUS) Becso? Wwww!

ELS: Becso cymaint ma' fe'n gwneud dolur. Poen meddwl, OK? Ond does dim disgwyl i ti ddeall y math 'na o boen o's e?

WES: Beth?

ELS: Does dim syniad 'da ti. A 'na fe.

CERDDORIAETH.
SŴN IARD YR YSGOL. MAE WES WEDI GWYLLTIO,
AC YN YMOSOD AR RHYS. MAE RHYS YN CEISIO'I
AMDDIFFYN EI HUN.

RHYS: Alla i ddim helpu 'i bod hi *all over* fi, Wes.

WES: *You what?*

RHYS: Dwi'n *irresistible* dydw?

WES: *All over* ti? *All over* …

RHYS: Jôc, mêt! *Joke!* 'Dan ni'n ffrindia! Dyna'r cwbl. Jôc!

WES: Dwi ddim yn dy gredu di.

RHYS: Na?

WES: Na.

RHYS: Crap! (CURIAD) OK, OK! Dwi yn 'i ffansïo hi.

WES: *You what?*

RHYS: Ia, ia, ond dydi hi ddim yn fy ffansïo i nac'di? OK? *I mean look at me!*
          Fasat ti'n fy ffansïo i?

WES: (YN FFIEIDDIO) *You what?*

RHYS: Sori. Sori! Dwi'n gwbod fasat ti ddim. Jyst trio, wyddost ti …

WES: Jyst gad hi fod. OK *fatso?*

RHYS: Dwi 'di colli tri phwys y mis yma!

          SAIB. DYDY WES DDIM YN GWYBOD BETH I'W DDWEUD.

WES: Ydy hi'n mynd i basio'i harholiadau?

RHYS: (WEDI SYNNU) Be?

WES: Glywaist ti fi!

RHYS: Dim cymaint ag y dylai hi ella.

WES: A fy mai i yw hynny, ie?

RHYS: Wnes i'm deud dim byd! Dim o 'musnes i.

WES: Bai ei theulu hi yw e.

RHYS: Be?

WES: Ma' hi'n ca'l amser caled. Gyda'i rhieni.

RHYS: Nac ydi!

WES: Ydi.

RHYS: Dydi hi ddim! Ddim go iawn!

WES: *So* ydy dy rieni di'n dy haslo di *24/7*?

RHYS: *Absolutely!* (YN DAER) Ma' nhw.

WES: Wel, (YN OEDI AM FOMENT) ydy dy dad yn dy fwrw di *then*?

RHYS: Be?

WES: Ti ddim yn gwybod dim byd felly wyt ti? *So* ca' dy ben! Fi'n mynd i sorto'i thad hi ma's os yw e'n cyffwrdd Elin 'to.

RHYS: Sortio Mr Jones? Na! Paid. *No way!* Fasa fo byth yn hitio Elin. Dwi'n 'i nabod o.

WES: *Yeah?* (CURIAD. YN ANSICR) Ti wedi bod yn 'i thŷ hi wyt ti?

55

RHYS: *Yeah. Loads* o weithia. (CURIAD. MAE WES WEDI'I SYNNU AC WEDI'I FRIFO) Wyt ti?

WES: *Get lost, right?*

RHYS: *Right.* Sori! (CURIAD) Ma' Mr a Mrs Jones yn *vegetarians!* Fasan nhw byth yn brifo Elin! *No way!*

WES: Pam bydde Elin yn dweud celwydd? Ma hi'n ca'l amser caled, dwi'n deud 'thot ti!

RHYS: *Yeah* ond ma' rhieni pawb yn *obsessed* efo arholiada, dydyn?

WES: Dwi ddim yn gwybod, ydw i?

RHYS: Sori.

WES: *Get lost.*

RHYS: Diolch.

        MAE RHYS YN CYMRYD EI GYFLE I DDIANC.

WES: Hoi! Ble ti'n mynd?

RHYS: Sori! O'n i'n meddwl bo chdi 'di deud *get lost!*

WES: Prat! (CURIAD) Fydde Elin ddim yn dweud celwydd wrtho i.

RHYS: Bydda. I ffitio i mewn ella.

WES: Gyda pwy?

RHYS: Efo chdi!

WES: Be?

RHYS: Dwi'n gwybod! *Strange but true!*

WES: (YN FYGYTHIOL) Ti'n gwybod popeth am bopeth nag wyt ti?

RHYS: Na'dw! Ond o'dd Elin yn iawn cyn dy gyfarfod di!

WES: *You what?*

RHYS: *Crap! I can't believe I said that!*

WES: Beth wedest ti?

RHYS: Sori! Sori *right*, ond ma' Elin 'di newid! Yn ddiweddar.

WES: *So?*

RHYS: Dwi'n poeni amdani.

WES: *Get a life!*

RHYS: Bydd gen i fwy o fywyd na chdi pal, unwaith y bydda i'n gadael cartra.

WES: Wel dwi ar y blaen i ti fan 'na, *gay-boy!*

RHYS: (WEDI'I SARHAU) *Excuse me?*

WES: Dwi wedi gadael cartre'n barod nagw i?

RHYS: *Yeah,* ond doedd gen ti'm dewis nag oedd?

WES: *So?*

RHYS: Wel ma' gan rai ohonon ni ddewis.

WES: Wel *lucky you*! (CURIAD) Ma' 'da fi'r math o rieni fyddet ti ddim hyd yn oed yn gallu 'u dychmygu!

RHYS: Sori! Ond os dwi'm yn gallu'u dychmygu nhw, 'di Elin ddim chwaith. Ma' rhieni Elin yn ei charu hi.

WES: *Yeah, right!*

          SAIB.

RHYS: (YN OEDI) Ma' Elin yn *bored.* Ma' hi'n dy ddefnyddio di.

WES: Beth?

RHYS: Ddim yn fwriadol na dim byd ond …

WES: Ma' hi'n fy ngharu i.

RHYS: Meddwl 'i bod hi.

WES: A dwi'n ei charu hi!

RHYS: (YN SYNNU) *No way!*

WES: Beth?

RHYS: Ti'm yn gwbod be 'di cariad.

WES: Beth?

RHYS: *No offence* de, ond sut allet ti?

WES: Dyw hynna ddim yn wir.

RHYS: Sori ond …

WES: Dwi'n gwybod beth yw e, reit? A dwi'n gwybod bod pobl eraill yn 'i
          ga'l e, a dwi ddim. Ond dwi'n 'i ga'l e nawr, a dwi'n 'i hoffi e.

RHYS: Dim ond *sex.*

WES: *Yeah?* Ti'n meddwl mai 'na'r cwbl yw e? Jelys wyt ti? (CURIAD) Ma' hi'n fy ngharu i, reit? A dwi'n 'i charu hi. (CURIAD. YN FYGYTHIOL) Ti'n gwybod beth sy'n bod 'da ti? Er dy fod ti'n mynd i'r ysgol bob dydd fel bachgen bach da, does neb 'rio'd wedi dysgu gwers i ti o's e?

RHYS: Oes mae 'na! Wir (YN EI AMDDIFFYN EI HUN) *Crap*!

MAE WES YN TARO RHYS.

Awtsh! Awtsh!

CERDDORIAETH DAWEL.

MAE ELIN YN EI HYSTAFELL WELY.
MAE WES YN LLE BEN.
MAE RHYS, WEDI'I ANAFU, YN EI YSTAFELL WELY.

MAE ELIN YN FFONIO WES.

MAE FFÔN WES YN CANU, OND AR ÔL GWELD MAI ELIN
SY'N GALW, MAE'N ANWYBYDDU'R ALWAD.

ELS: (YN DDIAMYNEDD) Wes!

MAE ELIN YN LLUNIO NEGES DESTUN I WES.

Dau ddiwrnod! Ble wyt ti? Dwi'n *bored.* Isie dy weld di.

MAE'N ANFON Y NEGES DESTUN.

OK.

MAE WES YN DERBYN Y NEGES.

WES: (YN DARLLEN) *Bored? Bitch.*

MAE WES YN TAFLU EI FFÔN. MAE'N CRIO.

ELS: Rhys *then* ...

MAE ELIN YN ANFON NEGES DESTUN AT RHYS.

ELS: Sori am gwympo ma's! Pam ddim yn ysgol? Colli ti *babes.* Disgo nos
        Lun? Gwisg ffansi. Xx Els.

MAE'N ANFON Y NEGES DESTUN.

OK.

MAE RHYS YN DERBYN Y NEGES DESTUN. MAE'N ANFON NEGES DESTUN AT ELIN.

RHYS: Sâl. Nôl dydd Llun. Gwisg ffansi? *Yeah baby!*

MAE ELIN YN DERBYN Y NEGES DESTUN. MAE'N GWENU.

CERDDORIAETH DDISGO UCHEL. GOLEUADAU LLACHAR. MAE'R CERDDOR/DJ YN AD-LIBIO I'R GYNULLEIDFA.

DISGO'R YSGOL. MAE PAWB YN FEDDW.
MAE WES (HEB WISG FFANSI) YN EISTEDD.
MAE RHYS (WEDI'I WISGO FEL DIAFOL) YN DAWNSIO AR EI BEN EI HUN.
MAE ELIN (WEDI'I GWISGO FEL ANGEL) YN CHWILIO AM WES, OND NID YW HI'N EI WELD.

ELS: *All right* Rhys?

RHYS: *Yeah.* Wyt ti?

ELS: *Yeah.*

            MAE RHYS YN YMWYBODOL BOD WES YN GWYLIO.

            Wyt ti isie dawnsio?

RHYS: (NERFUS) Na! Well i fi beidio. Mam yn y maes parcio. (CURIAD) Disgwyl amdana fi.

ELS: O! (AM Y WISG) *Evil* heno nag wyt ti! (CURIAD) Dwi'n mynd nawr 'fyd.

RHYS: Adra?

ELS: (YN CHWILIO AM WES) Na!

RHYS: (WEDI'I SIOMI) O. Wyt ti'n dal efo fo?

ELS: Gad e.

RHYS: Pleser. Wela i chdi 'fory OK?

ELS: Rhys! Wyt ti 'di meddwi?

RHYS: Ella!

ELS: Wel paid ag anadlu ar ddim un o'r athrawon *then*, OK!

RHYS: Be? O! Crap! *Yeah!* OK.

         MAE RHYS YN GADAEL. MAE ELIN YN GAFAEL AM WES.
         MAE'N TRIO'I HOSGOI HI.

ELS: Dwi isie mynd.

WES: *So?*

ELS: Dod?

WES: Na.

ELS: Beth sy'n bod? (CURIAD) *O come on*, plîs?

WES: Dwi ddim mo'yn!

ELS: (YN PRYFOCIO) Ti'n bod yn *weird* eto!

WES: Ydw i? (CURIAD) Dwi ddim yn dod.

ELS: Pam?

WES: Jyst ddim.

ELS: Pam?

WES: Jyst ddim. *Get lost!* A phaid â dweud pam 'to!

ELS: (YN PRYFOCIO) Pam?

WES: Dwi 'di ca'l digon OK!

ELS: O beth?

WES: O bopeth.

ELS: Beth ydw i 'di 'neud nawr?

WES: *Poor little posh girl!*

ELS: (YN PRYFOCIO) Fi *posh*, ti Becks!

WES: *Yeah well! Get lost.* Cwyno am bob dim.

ELS: Beth?

WES: Dwi isie sefyll fan hyn!

ELS: Doeddet ti ddim hyd yn oed isie dod!

WES: *Yeah.* 'Da ti! Doeddwn i ddim isie dod 'da ti!

ELS: Beth? Dwi ddim yn deall!

WES: Cer wnei di! Os bydd Evans Gwydd yn gwynto'r fodca 'na, byddi di mewn trwbl.

ELS: Beth? *So?* Dwi ddim yn becso. Plîs. Jyst dere.

WES: (YN BENDANT) Dwi ddim isie! A dwi ddim isie mynd ma's 'da ti 'to. Ti'n deall? Wyt ti? Does 'na neb yn ca'l gwneud ffŵl ohono i! *Right?*

ELS: Dwi ddim! Be dwi 'di 'neud?

WES: Jyst *get lost!*

ELS: (DAN DEIMLAD) Dwi'n dy garu di.

WES: Nagwyt ddim. Jyst *get lost* a gad fi fod.

ELS: Na!

WES: (YN COLLI RHEOLAETH, A BRON Â THARO ELIN) Elin! *Get lost* neu dwi'n dweud 'thot ti …

64

ELS: (YN OFNUS) Beth?

WES: Ydy dy dad di yn dy fwrw di?

ELS: Beth?

WES: Ydy e?

ELS: Beth? (CURIAD) Na. (CURIAD) Ond wedes i ddim ei fod e.

WES: (DAN DEIMLAD) Gadewaist ti i fi feddwl 'i fod e.

ELS: Sori!

WES: Pam? *Bored* oeddet ti?

ELS: (WEDI'I SYNNU) Na! (CURIAD) O'n i isie i ti edrych ar fy ôl i.

WES: Ma' digon o bobl yn edrych ar dy ôl di'n barod Elin. Does neb 'da fi.

ELS: Beth?

WES: Dim byd.

ELS: (CURIAD) Dwi ddim yn hapus gatre.

WES: Wel tria'n galetach 'ta Elin. Falle bydd 'na'n gweithio!

ELS: (DAN DEIMLAD) Wes.

WES: Tria'n galetach Elin. Jyst *get lost*. Cer adre at Mami a Dadi.

ELS: (DAN DEIMLAD) Wes!

WES: *Get lost* OK?

            MAE ELIN YN CRIO WRTH I WES ADAEL.

CERDDORIAETH. SŴN GWYNT.

AR BEN CRAIG YR WYLAN MAE ELIN YN DAL YN EI
GWISG ANGEL, MEWN DAGRAU. MAE'N MYND YN
FWYFWY EMOSIYNOL TRWY GYDOL YR OLYGFA. MAE'N
FFONIO RHYS.

MAE RHYS YN EI YSTAFELL WELY, YN CYSGU, OND YN
DAL I WISGO EI GYRN DIAFOL. MAE'N DEFFRO YN
TEIMLO'N SÂL AC YN ATEB Y FFÔN, EI FEDDWL YN
DDRYSLYD.

RHYS: Blydi hel Elin. Be t'isio?

ELS: Rhys?

RHYS: Be? Dwi'n sâl.

          SAIB.

          Fe fydda i mewn helynt os deffrith Mam.

ELS: Rhys.

RHYS: Dwi'n sâl Els.

ELS: Rhys! Plîs!

RHYS: Pam wyt ti'n haslo fi?

ELS: Plîs.

RHYS: *What?* (CURIAD) Wyt ti 'di meddwi?

ELS: Dwi angen help.

RHYS: *Yeah well!* Dwi'n gwybod hynna!

          SAIB.

	Els?
ELS:	Dwi'm yn gwybod beth i'w wneud.
RHYS:	Be?
ELS:	Dwi'm yn gwybod beth i'w wneud.
RHYS:	Pam?
ELS:	Rhys, plîs.
RHYS:	Blydi hel! *Why me?*
ELS:	Dwi'm yn gwybod beth i'w wneud.
RHYS:	*Yeah!* Ddwedest ti!
ELS:	Dwi 'di ca'l llond bol.
RHYS:	Wel be 'dwi fod i'w 'neud? Ffonia'r Samariaid.

SAIB HIR.

MAE RHYS YN SYLWEDDOLI BOD RHYWBETH O DDIFRIF O'I LE.

Crap. Elin? Lle wyt ti?

ELS:	Craig yr Wylan.
RHYS:	(YN CAEL BRAW) Be? Craig yr Wylan? Pam?
ELS:	Rhwng y tonna a'r cymyla. Tonna mawr lawr fan'na.
RHYS:	Beth?
ELS:	Ydy'r môr yn cysgu weithie Rhys? Dwi 'di blino.
RHYS:	Crap! Paid â mynd yn agos at yr ymyl Els. Els? Els? Ble ma' Wes?

ELS:	Ni wedi cwpla. Dwi isie i bopeth stopo mynd yn *wrong.*
RHYS:	Els. (SAIB) Els? (SAIB) Elin!
	SAIB.
ELS:	Pawb yn haslo fi.
RHYS:	Pwy?
ELS:	Pawb, OK?
RHYS:	Nac ydyn Elin!
ELS:	A dwi 'di ca'l digon.
RHYS:	Ti 'di meddwi. Ma' hyn yn *silly!*
ELS:	Does neb yn becso amdana i.
RHYS:	Mae pawb yn becso Els.
ELS:	Wyt ti?
RHYS:	Ydw.
ELS:	Wel dere i fy nôl i *then.*
RHYS:	Pwy, fi? I Graig yr Wylan? Sut? Alla i ddim.
ELS:	Ti'n gweld!
RHYS:	Ma' hi'n orie mân y bore, Els. Ma' Mam yn y gwely ers acha. A dydy Dad ddim adra eto.
ELS:	Dwi ddim isie iddyn nhw ddod. Dwi isie ti.
RHYS:	Fi? Els! Dwi'm yn gallu!

ELS: Does neb ar ga'l pan ti wir eu hangen nhw o's e?

RHYS: Elin! Elin! (CURIAD) OK. Elin aros ble wyt ti!

ELS: Dwi ddim yn ffitio ydw i? Ddim yn plesio neb. Llonydd, dyna'r cwbl
            dwi isie. Ma' popeth yn crasho lawr rownd fy mhen i.

RHYS: OK. Jyst ista i lawr, ac aros amdana i. Wna i fenthyg car Mam. Dwi ar
            y ffordd, OK? Bydda i yna rŵan.

ELS: Rhys.

RHYS: Nawn ni siarad, OK? Ti a fi. Dwi'n nôl allweddi Mam y funud 'ma.

ELS: Rhys.

RHYS: Fydda i yna rŵan. Jyst paid â symud, OK? Fydda i yna rŵan.

            HEB I ELIN SYLWI, MAE WES YN CYRRAEDD WEDI'I
            ANAFU, DAN DEIMLAD, AC YN CYDIO MEWN POTEL O
            FODCA.

ELS: Dwi 'di ca'l digon, Rhys. Plîs.

RHYS: OK. OK.

WES: Els?

ELS: (WEDI DYCHRYN) Wes!

            MAE ELIN YN RHEDEG AT WES OND MAE E'N EI
            GWTHIO HI I FFWRDD.

WES: O'n i'n meddwl mai dyma ble byddet ti. Wedi ca'l digon wyt ti? Wyt
            ti?

            MAE ELIN YN SYLWI BOD WES WEDI'I ANAFU.

ELS: Beth yw 'na?

WES: Bywyd yn rhy galed i ti yw e?

ELS: Wes! Beth sy 'di digwydd?

WES: Crash.

ELS: Beth?

WES: Crash, OK?

ELS: Ti'n gwaedu!

WES: *So?*

ELS: Ti o'dd yn dreifo?

WES: *Yeah. So?*

ELS: Wes!

WES: Yn gyflym! Rili cyflym. Lawr y *main drag. Sounds* arno *full blast.* Pobl ar eu ffordd adre'n syllu. (YN GWEIDDI) 'Ma's o'r ffordd. Ma's o'r ffordd, OK?' Llaw lawr yn galed. Corn yn canu. Cops? Rhywun? (YN GWEIDDI) *'Come on. Come on!* Ble y'ch chi? Gwnewch rywbeth! Unrhyw beth! Stopwch fi wnewch chi!' *Handbrake turn.* Brêcs yn sgrechen. Reit ar waelod y dre'. Reit fan'na. Stopo. (YN GWEIDDI) *'Come on!'* Neb. 'Dwi 'ma! Yn aros! Fe wna i eich rasio chi!' Neb. Refio'r injian. Rwber yn llosgi. 'Sneb yn cymryd unrhyw sylw. Does neb yn dod. Does neb yn becso. Pam bo neb – does dim ots beth dwi'n 'i 'neud – pam does neb yn becso amdana i?

ELS: Wes.

WES: Dy fywyd di'n rhy galed ydy e?

ELS: O's rhywun arall wedi'i anafu Wes?

WES: Wel dyw 'mywyd i ddim yn grêt chwaith.

ELS: Wes! Dwed wrtha i.

WES: Na! Neb arall wedi anafu. Neb wedi anafu. Dim ond fi.

TŶ RHYS.
MAE CERDDORIAETH YN PARHAU DRWY'R OLYGFA.
MAE RHYS YN CEISIO PARATOI, MOR DAWEL AG Y BO
MODD, AR GYFER MYND I ACHUB ELIN.

RHYS: (YN DAWEL) Crap! Crap! Blydi hel Elin! (YN CEISIO
YMDAWELU) OK. OK.

(YN TYBIO EI FOD YN CLYWED EI FAM YN DEFFRO) O
crap! Mam. Crap! Crap!

(YN CERDDED DRWY'R TŶ TYWYLL) OK. OK. Allweddi. Lawr
grisia. Bwrdd.
(YN COFIO) O! Côt!

(YN GWISGO'I GÔT. YN SYLWEDDOLI BETH MAE'N EI
WNEUD) Crap! *Mad!* Rhys! Be ti'n 'neud? Cer yn ôl i'r gwely! (YN
AILFEDDWL) Na! Ma' hi'n disgwyl amdanat ti! Dyma dy gyfle di!
Ma'n rhaid i fi! Rhaid i fi! (YN MEDDWL EI FOD YN CLYWED
EI CHWAER YN DEFFRO) O na! Jen!

(MAE EI FAM YN AMLWG YN GALW. YN ATEB) Na! Fi!
(CURIAD. YN GWRANDO. YN ATEB) Fi. Sori Mam.
(CURIAD. GWRANDO. ATEB) Na. Dwi'n iawn. Nôl diod.
(CURIAD. YN ATEB) Dŵr! Methu cysgu!
(CURIAD. YN GWRANDO. ATEB) Na. Dwi'm yn meddwl bod
Dad adra eto!
(CURIAD. GWRANDO. ATEB) *Yeah.* OK.
(CURIAD. GWRANDO. ATEB) *Yeah.* Ma'n rhaid 'i fod o bron
adra. Sori Mam. Sori.
(MAE'N GWRANDO ETO AM EILIAD CYN MYND YMLAEN
AR EI SIWRNE. MAE'N GAFAEL YN ALLWEDDI CAR EI
FAM.)
Allweddi!

(MAE'N CERDDED YN DAWEL DRWY'R TŶ.)
Hisht! *Come on. Come on.* O crap! Alla i ddim coelio 'mod i'n gwneud
hyn!

(MAE'N AGOR DRWS FFRYNT Y TŶ, AC WRTH EDRYCH I FYNY, YN GWELD GOLAU YN YSTAFELL WELY EI FAM. YN DAWEL WRTHO'I HUN)

O na! Crap Mam! Ewch yn ôl i'r gwely. Plîs. Plîs! (CURIAD)

(MAE'N MYND I MEWN I'R CAR)
OK, OK Rhys. *Come on, come on.*

(MAE'N GWISGO'R GWREGYS)
Seat belt, ignition. How hard can it be? Tsieco'r drych.
(YN TWTIO'I WALLT AM FOMENT)
Prick! Be dwi'n 'neud?

(YN EDRYCH TUAG AT FFENESTR YSTAFELL WELY EI FAM)
Sori Mam. Dwi wir, wir yn sori!

(YN CANOLBWYNTIO) *Come on* Rhys. Dwi 'di'u gweld nhw'n gwneud hyn gannoedd o weithia.
(MAE'N TANIO'R INJIAN AC YN REFIO'N GALED. MAE'N DYCHRYN) O crap!

(MAE'N DIFFODD YR INJIAN.)
Be o'dd hynna?! (YN CANOLBWYNTIO) *Come on, come on!*

(MAE'N TANIO'R INJIAN ETO, AC YN REFIO. MAE'N AILFEDDWL) Na! *Whoah! Whoah!* Be ti'n 'neud y *prick?* 'Sa Dad yn gallu bod ar ei ffordd i fyny'r lôn 'na unrhyw funud, ac wedyn (MAE'N DYCHMYGU DAU GAR YN CRASHIO) crash! (WEDI DYCHRYN) Allan. Rŵan! Rŵan!

(MAE'N DATOD EI WREGYS, OND WRTH DDECHRAU CAMU ALLAN O'R CAR MAE'N AILFEDDWL) Na! Ma' hi'n disgwyl amdanat ti!

(MAE'N CLYMU'R GWREGYS. OND YN AILFEDDWL) Allan! Rŵan!

(MAE'N PARHAU I GLYMU A DATOD Y GWREGYS.)
Na, alla i ddim – Ia, allan – Methu. – Gallu. – Methu. – Ma'n rhaid i mi!

(WEDI DRYSU'N LÂN)
Elin! Dwi'm yn gwybod beth i'w 'neud!

AR GRAIG YR WYLAN. CERDDORIAETH. SŴN GWYNT.
MAE ELIN A WES YN EMOSIYNOL IAWN. MAE ELIN YN
YMWYBODOL IAWN O YMYL Y GRAIG, AC MAE'N OFNUS
IAWN. MAE WES YN CYDIO'N DYNN YN ELIN.

WES: Cusan.

ELS: Paid.

WES: Un gusan. *Come on!*

ELS: Ry'n ni'n rhy agos at yr ymyl Wes! Paid.

WES: *For old times' sake.*

ELS: Plîs. Paid!

WES: Beth?

ELS: Mae arna i ofn.

WES: Beth? Cusan?

ELS: Nage! Cwympo!

    MAE WES YN SYLWEDDOLI PA MOR OFNUS YW ELIN AC
    YN MANTEISIO AR HYNNY.

WES: O.

ELS: Bydde fe'n gwneud dolur yn bydde fe?

WES: (YN EI THYNNU TUAG AT YR YMYL) Gyda'n gilydd!

ELS: Be?

WES: Ti a fi! (YN GWEIDDI) Hedfan!

ELS: Na!

WES: (YN GWEIDDI) Rhydd!

ELS: Na!

WES: Pam? Lle hardd, pluog, meddal lan 'na wedest ti! (CURIAD) Neu os
          nad wyt ti isie hedfan … plymio! I mewn i'r tonnau cynnes 'na! Bydd
          rhaid i ni gyfrif!

ELS: Beth?

WES: Un, dau, tri! Rhag ofn i un ohonon ni gamarwain y llall.

          MAE ELIN YN CRIO.

          Bydde pawb yn y twll tin lle 'ma yn siarad amdanon ni! Bydden ni ar
          y newyddion! (FEL NEWYDDIADURWR) *Today, two bodies were
          swept ashore by crashing waves. No ordinary bodies! A merman and
          mermaid.*

ELS: Na!

WES: Eiliadau! Dyna'r cwbl fydde fe. Cyn i ni lanio.

ELS: Mae glanio'n swnio'n osgeiddig, prydferth.

WES: *Yeah?*

ELS: Ond fydde fe ddim Wes! Bydden ni ar y creigie. Wedi dryllio!

WES: Bydde fe yn y papure. (CURIAD) Tybed fydde Mam a Dad yn 'i weld
          e?

ELS: Wes!

WES: Tybed fydden nhw'n becso?

ELS: Wrth gwrs y bydden nhw.

WES: *Yeah?* Dwi'n siarad am fy rhieni i, nid dy rai di, Elin.

ELS: Fe fydde 'na esgyrn yn torri.

WES: Dyw Mam a Dad 'rioed 'di bod 'na i fi.

ELS: Bydde 'na waed. Lot o waed. Bydde fe'n gwneud dolur.

WES: Beth?

ELS: Yn bydde fe? Yn bydde fe?

WES: I ti? Gwneud dolur i ti? Shwt ydw i fod i wybod?

ELS: Beth?

WES: Shwt ydw i i fod i wybod beth fydde'n gwneud dolur i ti? Dwi ddim yn deall dy boen di ydw i?

ELS: Beth?

WES: *Posh pain!* Yr unig fath o boen dwi'n ei ddeall yw ca'l *kicking* on'dife?

ELS: Sori!

WES: Ond does dim disgwyl i ti ddeall y math 'na o boen chwaith o's e? O's e? (CURIAD) Pam wnest ti adael i fi gredu bod dy dad di'n dy fwrw di?

ELS: O! Jyst digwydd wna'th e.

WES: *Yeah?*

ELS: Ie.

WES: *Yeah?*

ELS: Ie! Dwi'n meddwl! Dwi'm yn gwybod! Dwi'n sori!

MAE WES YN TYNNU ELS YN AGOSACH AT YMYL Y CLOGWYN.

WES: Wyt ti? Dere!

ELS: Beth? Na! (CURIAD) Beth os bydd rhywun yn ein gweld ni?

WES: Beth?

ELS: Rhywun. Lawr 'na!

WES: Beth? Pwy?

ELS: Dwi'm yn gwybod! Rhywun! Dwi'm yn siŵr!

WES: Beth fyddan nhw'n ei 'neud? Rhoi stŵr i ni?

ELS: Paid.

WES: Tra bo ni'n disgyn? (YN DYNWARED RHYWUN AR LAN Y MÔR YN EDRYCH I FYNY) 'Beth y'ch chi'n ei feddwl chi'n ei 'neud lan fan 'na, y diawled bach?' Neu ar ôl i ni lanio falle, ife? (YN DYNWARED) ''Shgwlwch ar y *mess* chi wedi 'i 'neud! Pobl ifanc y dyddie hyn!' (YN TYNNU ELIN YN AGOSACH ETO AT YR YMYL) Neu falle y byddan nhw'n trio'n dala ni!

ELS: Paid Wes! Paid. Paid!

WES: Does 'na neb 'na. Drycha. Neb o gwbl. Dim ond ni!

ELS: Na. Neb. Dwi'n gwybod. Dwi'm yn meddwl yn strêt.

WES: Na?

ELS: Na.

WES: Dwyt ti ddim isie wyt ti? (CURIAD) Dyw bywyd ddim mor wael â ti'n meddwl, yw e?

ELS: Dwi'm yn gwybod.

WES: (YN LLAWN DICTER) Ddim yn gwybod? Ddim yn gwybod?

ELS: Dwi'm yn siŵr!

WES: (GORCHYMYN) Cusan.

MAE'N CEISIO EI CHUSANU OND MAE ELIN YN ANFODLON.

Cusan. Fan hyn. Nawr. Ac wedyn penderfyna.

MAEN NHW'N CUSANU. MAE'R GWYNT YN CHWYTHU'N UCHEL IAWN AM FOMENT, CYN GOSTEGU WRTH I WES AC ELIN WAHANU.

SAIB.

Wel? Ydyn ni'n mynd? Ydyn ni? Ydyn ni?

MAE ELIN YN YSGWYD EI PHEN I DDWEUD NA.

Good choice Elin. (CURIAD) Does neb 'rioed wedi becso amdana i, ond dwi'n mynd i fod yn OK, reit? A ti'n gwybod pam? Achos dwi 'di penderfynu. Fi. *So* os yw 'mywyd i werth ei gael Elin, dwi'n eitha siŵr bod dy fywyd di'n werth ei fyw.

ELS: Sori Wes. (CURIAD) Dwi'n rili sori! Ble ti'n mynd?

WES: *Cop shop.*

ELS: Sori.

WES: Ma' car rhywun mewn wal ar gyrion y dre.

ELS: Ddo i 'da ti.

WES: *Get lost.*

ELS: Ti angen 'sbyty.

WES: *Get lost* Elin. Dwi ddim dy angen di.

            MAE WES YN GADAEL.

            SAIB HIR.

            MAE ELIN YN DYCHRYN WRTH GOFIO EI BOD HI WEDI
            FFONIO RHYS.

            O!

            MAE HI'N EI FFONIO ETO, OND DOES DIM ATEB.

ELS: *Pick up, Rhys. Pick up! Pick up!*

            MAE HI'N GADAEL NEGES.

            Gobeithio byddi di'n ca'l y neges 'ma Rhys. Sori, OK? Dim angen ti
            nawr. Dwi'n mynd adre, OK? Dwi'n *fine*. (WRTHI HI EI HUN)
            Paid â gwneud dim byd *silly*. Plîs Rhys. Fyddet ti ddim *though* fyddet
            ti? Byth. Rhy gall. (CURIAD) Siarad 'da ti 'fory. *Yeah*. (CURIAD)
            Siarad 'da pawb, fory.

            MAE ELIN YN GADAEL.

            CERDDORIAETH.